Travessera de Gràcia, 47-49
08021 Barcelona

Título original: *El viatge de Cristòfor Colom*
Traducción y adaptación al castellano: Gemma Xiol



ISBN 84-488-2279-X
DEPÓSITO LEGAL: B-41.704-2005
Impreso en España por ALEU - Printed in Spain

# El viaje de
# Cristóbal Colón

*Texto*
Anna Obiols

*Ilustraciones*
Subi

Lumen

Me llamo Pedro y ahora os contaré cómo conocí al navegante más valiente y misterioso que nunca haya existido.

Yo vivía en Palos de Moguer con mi padre, hasta que un día llegó la noticia que un enigmático hombre llamado Cristóbal Colón zarparía hacia las Indias desde el puerto de nuestro pueblo, siguiendo una ruta que nadie había recorrido. Mi padre decidió unirse a la tripulación, y yo, que me moría de ganas de vivir aventuras, decidí acompañarlo escondido en una de las tres naves. Por nada del mundo me iba a perder aquel viaje.

Lo que yo no sabía entonces es que para Cristóbal Colón no había sido nada fácil hacer realidad aquel sueño. Los reyes de Portugal habían rechazado su propuesta, y Colón tuvo que convencer a los reyes de Castilla:

–Estoy seguro de que encontraré una ruta más corta para llegar a las Indias. Mis cálculos me indican que si vamos hacia el Oeste llegaremos más deprisa.

Y después de insistir e insistir, por fin llegó la respuesta más esperada:

–Síiiiiiiiiiiiiii –dijo el rey Fernando.
–Yo incluso estoy dispuesta a vender mis joyas si es necesario –dicen que añadió la reina Isabel.

Días antes de zarpar, el puerto era un total desbarajuste. Gente por todas partes, sacos de acá para allá...

–Tú, ayúdame a cargar este tonel –ordenó un marinero a un grumete.
– ¡Pardiez, cuánto pesa!
– ¿Ya está todo listo? –preguntaba uno de los pilotos de las naves.

Las tres embarcaciones y toda la tripulación estaban preparadas para empezar una aventura sin precedentes. Era el viernes 3 de agosto de 1492 y yo, finalmente, había encontrado un hueco entre los toneles de vino de la bodega de La Santa María. Entonces oí:

– ¡Preparados para zarpar!

En mi minúsculo e incómodo escondite pasaba el rato observando a Colón en su cabina. Siempre tenía la mesa llena de mapas e instrumentos rarísimos que yo me imaginaba que servían para no perder el rumbo. Muchas veces lo oía hablar solo en voz alta:

– Tenemos que seguir avanzando por el paralelo veintiocho norte... ¡Estamos a punto de llegar a tierra!

Y al escucharlo yo pensaba: «cuando sea mayor quiero ser como él».

Una noche, los hombres de la tripulación, y también Colón, abrieron los toneles de vino y empezaron a contar leyendas de mar:

– ¿Os acordáis de aquel pirata que naufragó porque una misteriosa serpiente marina le destrozó el barco?
– Sí, ¡la famosa serpiente de las siete cabezas!
– ¿Y cómo acabó la historia?
– ¡Huy! ¡Ninguna de las siete bocas lo dejó escapar!
– Ja, ja, jaaaa –rieron todos.

Aquella noche no puede conciliar el sueño. Aunque cerrara los ojos veía monstruos marinos por todas partes.

Los días pasaban y no veíamos ningún indicio de la tierra prometida. Los marineros empezaron a preocuparse:

– Este dichoso Colón nos ha engañado –protestaba uno.
– ¡Demos media vuelta! –pedían otros a gritos.

Recuerdo aquel día como si fuera ayer. Primero, porque se organizó una gran batalla campal y todo volaba de un sitio para otro. Y, segundo, porque en medio de ese barullo me descubrieron.

– ¿Se puede saber qué hace este aquí?

Ni a Colón ni a mi padre les hizo un pelo de gracia encontrarme a bordo, pero después del susto el ambiente en el barco se distendió un poquito.

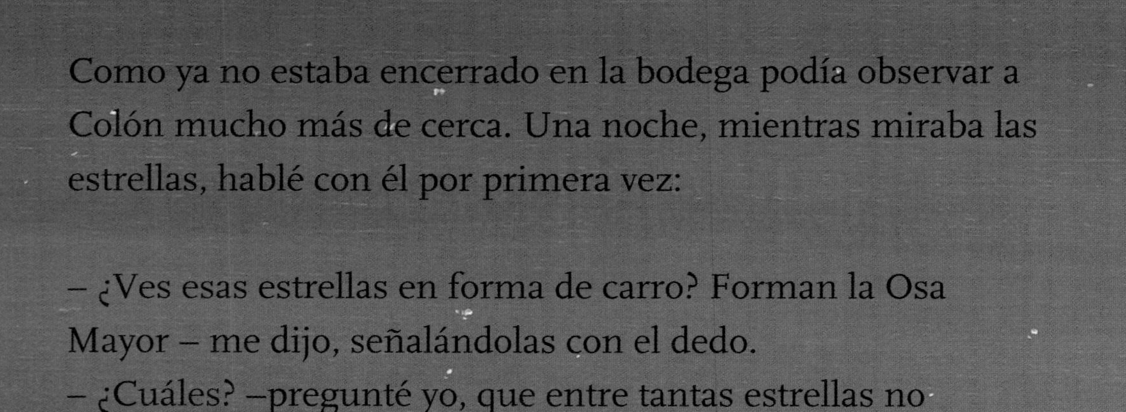

Como ya no estaba encerrado en la bodega podía observar a Colón mucho más de cerca. Una noche, mientras miraba las estrellas, hablé con él por primera vez:

– ¿Ves esas estrellas en forma de carro? Forman la Osa Mayor – me dijo, señalándolas con el dedo.
– ¿Cuáles? –pregunté yo, que entre tantas estrellas no conseguía ver nada que se pareciera a un carro.
– Mira, mira –y fue uniendo puntos de luz hasta que lo vi claramente.

Nunca había conocido a un hombre tan seguro de sí mismo. Yo, como él, estaba convencido de que haríamos realidad nuestro sueño.

Tras días y noches de viaje, el 12 de octubre desde La Pinta, Rodrigo de Triana gritó entusiasmado:

– ¡Tierra a la vista!

En esos momentos oí un disparo de bombarda, izamos las banderas y arriamos las velas. Mi padre y yo estábamos tan contentos que no nos acabábamos de creer lo que veíamos. Muchos hombres, entre ellos Colón, tenían los ojos llorosos de emoción.

Descargamos los botes para pisar tierra firme cuanto antes. Nos esperaba una playa de arena muy fina, con unas palmeras altísimas de un verde intenso. Aquello parecía el paraíso.

Cuando mi padre me subió a sus hombros, me di cuenta que en aquella isla no estábamos solos: había alguien más. Mientras el almirante bautizaba la isla Guanahamí como la de San Salvador y no sé qué cosas decía en nombre de los reyes, yo me fijé en esos hombres que nos miraban asustados. Iban desnudos y hablaban una lengua distinta, por lo que sólo podíamos comunicarnos con gestos y signos.

Esos hombres creían que éramos dioses y nos veneraban sin cesar. A mí enseguida me invitaron a subir en una de sus canoas. Nos introdujimos en una selva llena de animales exóticos, pájaros de colores, plantas frondosas y frutas que no había visto en mi vida. Aunque no habláramos la misma lengua, yo intentaba hacerles entender que aquello era lo más bonito que había visto hasta entonces.

Mientras tanto, a kilómetros de nosotros, Colón se dirigía en dirección sudeste en busca de oro.

Entre los meses de octubre de 1492 y enero de 1493 navegamos de isla en isla. En una de ellas La Santa María se estropeó, y treinta y nueve hombres tuvieron que quedarse allí mientras los demás volvíamos a Castilla.
Una noche el viento nos sopló a favor, pero nos alcanzó una tormenta y tuvimos que luchar contra unas olas enormes. Parecía como si el mar nos quisiera poner a prueba en el último momento.
Después de haber superado el peligro, llegamos al puerto de Palos el 15 de marzo de 1493.

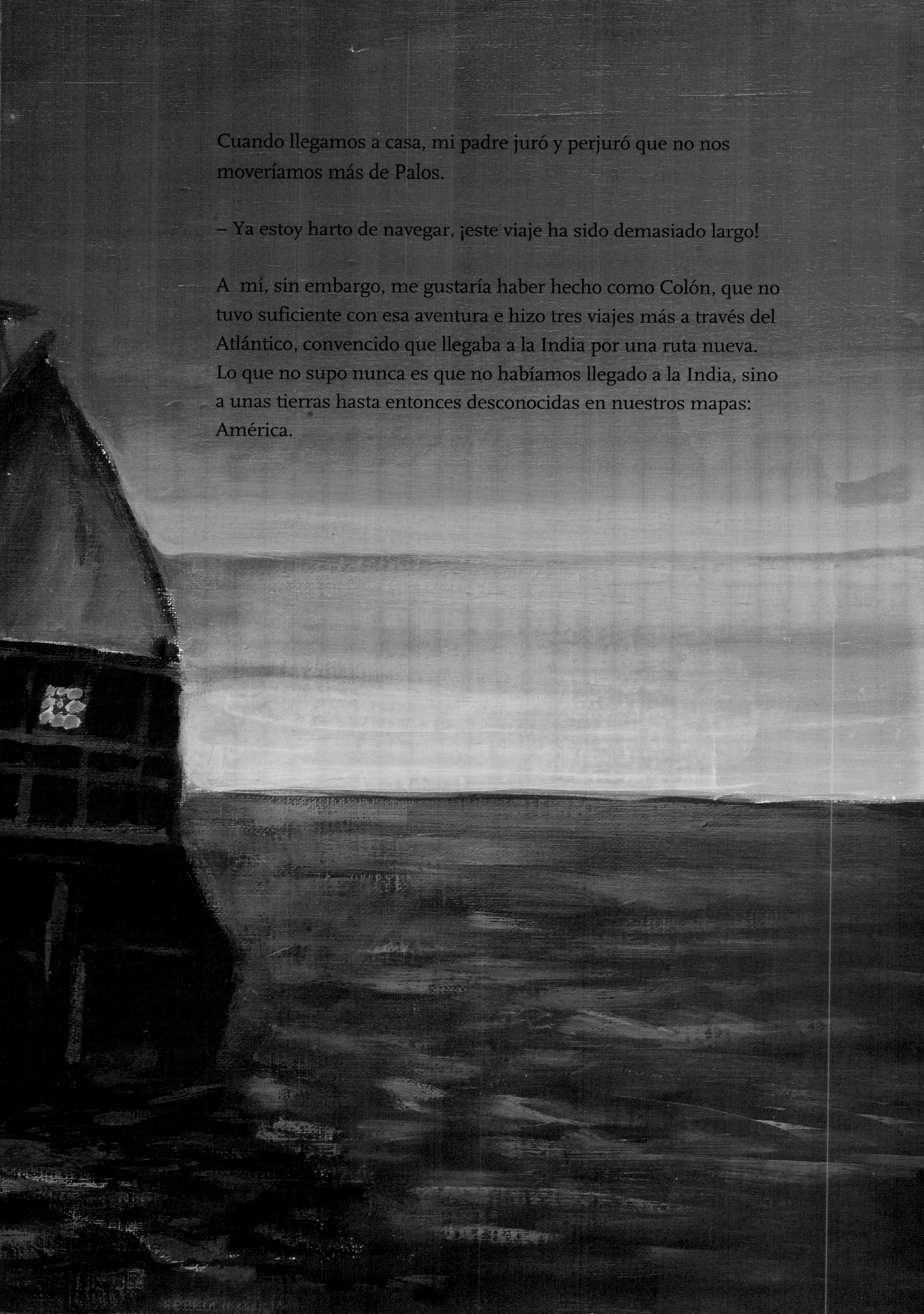

Cuando llegamos a casa, mi padre juró y perjuró que no nos moveríamos más de Palos.

– Ya estoy harto de navegar, ¡este viaje ha sido demasiado largo!

A mí, sin embargo, me gustaría haber hecho como Colón, que no tuvo suficiente con esa aventura e hizo tres viajes más a través del Atlántico, convencido que llegaba a la India por una ruta nueva. Lo que no supo nunca es que no habíamos llegado a la India, sino a unas tierras hasta entonces desconocidas en nuestros mapas: América.